TEXTE : GILBERT DELAHAYE
IMAGES : MARCEL MARLIER

martine
à la fête des fleurs

casterman

Bientôt ce sera la fête dans la ville de Martine. Justement, on vient de coller une affiche non loin de la mairie. Voici ce que l'on peut lire :

Dimanche 17 juin
À LA ROSERAIE-SOUS-BOIS
à 15 heures
GRAND CORSO FLEURI
Chacun est invité à y participer.
Prière de s'inscrire à la mairie.

– Qu'est-ce qu'un corso fleuri ? demande une petite fille.

– C'est un cortège avec des chars, des voitures, des vélos garnis de fleurs, explique Martine.

– Je voudrais bien participer au corso.

– Moi aussi... Allons nous faire inscrire.

– Pourquoi pas ?

– Oui mais, les chars, il faudra les préparer.

– Cela ne sera pas facile. Et pour les costumes, qu'allons-nous faire ?

– Écoutez-moi, j'ai une idée.

– Dis toujours, on verra bien.

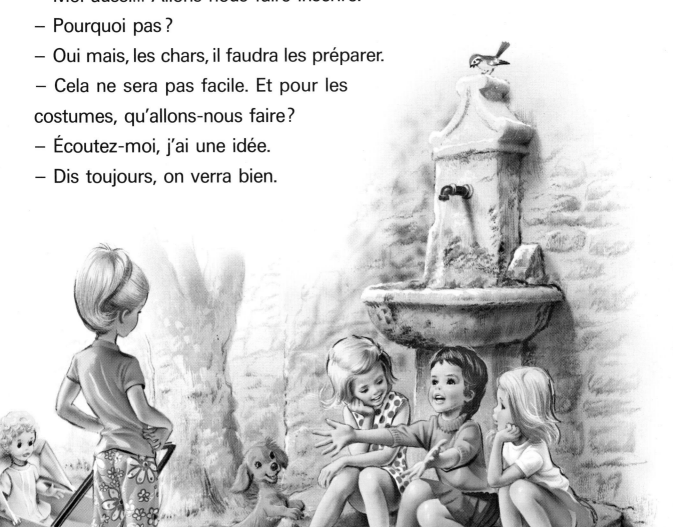

– Voilà, faisons des croquis avec nos amies.

– Des croquis? Qu'est-ce que cela veut dire?

– Cela veut dire des modèles, des dessins, si vous préférez. Pour les chars, il faudra choisir des titres.

– Moi, je propose " Le Chat botté " ou bien " Ali-Baba ".

– Mon char à moi, dit Martine, je l'aimerais comme ceci, avec des fleurs ici et là. Ce sera le " Char japonais ".

– Qu'est-ce que je vais bien pouvoir faire dans le corso fleuri? se demande Patapouf intrigué.

– Et qui va construire les chars? Nous n'en sortirons jamais toutes seules!

– C'est vrai ça! Il faudra qu'on nous aide.

– Montrons ces croquis à nos papas. Ils nous donneront certainement un coup de main, dit Martine.

Vous pensez bien que les papas ne demandaient pas mieux que de rendre service. Ils ont trouvé ce projet magnifique. Aussitôt ils se sont mis à l'ouvrage avec leurs voisins et leurs grands garçons.

Pendant ce temps-là, que font les filles?

Eh bien, si vous allez vous promener du côté de la rivière, vous y verrez Martine, Nicole, Françoise et leurs amies occupées à la cueillette des fleurs.

Comme elles sont belles en cette saison, les fleurs des prés avec leurs jolis chapeaux et leurs fines ombrelles!

C'est à qui sera la plus coquette:

– Voyez mon nouveau corsage, dit celle-ci.

– Que pensez-vous de ma collerette? demande celle-là.

Toutes les fleurs à la fois
sentent si bon que Martine,
fatiguée d'en avoir tant cueil-
li, finit par s'assoupir. Mais
qui fait tout ce bruit à La
Roseraie-sous-Bois ?
– ALLÔ... ALLÔ !
C'est l'électricien qui essaie
son micro. Et ce roulement
de tambours ? C'est celui que
font les majorettes en train
de s'exercer à défiler dans
la rue.
... Vite, allons voir !

9

Demain c'est la fête.
Mais tout n'est pas
encore prêt. On a
sorti l'hélicoptère de
Nicole et la théière
où s'installera
Martine.

10

Encore faut-il les garnir de fleurs, attacher l'hélice de l'hélicoptère et fixer le couvercle de la théière japonaise.

– Chic, dit le petit veau en se léchant le museau, on va pouvoir déjeuner dans les jolies tasses à fleurs.

– En voilà un remue-ménage! fait Roussette la vache. Qu'est-ce que cela veut dire?

– Comment, vous ne savez pas? Ils préparent le char de Martine pour le cortège. Là-bas, c'est l'hélicoptère de Nicole. Ça, c'est la vieille voiture de grand-père Nicolas. Je parie qu'elle marche encore. Voilà qui serait épatant!...

MARLIER

Enfin le jour de la fête arrive. Toute la ville est pavoisée. Les musiciens viennent de descendre de l'autocar. Le soleil fait briller les cuivres et les boutons dorés des uniformes. Les majorettes se préparent pour le défilé.

Un clairon sonne le rassemblement.

Plus une minute à perdre...

– Dépêchons-nous, Martine, dit Jean, qui vient juste d'arriver avec son vélo fleuri et le chien Patapouf.

Mais Patapouf ne veut pas se tenir tranquille. C'est un petit chien têtu, têtu :
– Moi, rester dans cette carriole? En voilà une idée! Je serai ridicule là-dedans!...
Le cortège se met en route. On entend la musique et tous les enfants ont envie de danser... Tiens, qu'est-ce qui s'avance là-bas, tout au bout de la rue?...

Ce qui s'avance tout au bout de la rue? C'est "L'Escargot paresseux" tiré par la troupe des "Nains Farfadets". Il se dépêche, il se dépêche. Sûrement qu'il sera en retard pour le cortège de La Roseraie-sous-Bois.

Entendez-vous ce bruit de sonnettes?
Ce sont les "Joyeux Cyclistes de Saint-Guidon-la-Jolie" qui paradent sur leurs vélos... Le dernier, c'est Jean, le frère de Martine... Bon! Patapouf n'est plus dans la carriole!... Il se sera enfui dans la foule.

Comment le retrouver?

Tout le cortège défile : les tambours, les majorettes, les porteurs de drapeaux, les chars fleuris, les pierrots, les arlequins.

Vous parlez d'une fête! Comment ne pas s'y perdre?

– Eh, Patapouf! crie un petit garçon dans la foule amusée.

– Je suis là! Je suis là! dit Patapouf en actionnant la trompe de la vieille voiture.

Arrive l'hélicoptère. On se bouscule. On applaudit.

N'est-ce pas joli toutes ces fleurs que Nicole jette sur la foule?
C'est comme s'il pleuvait des pétales de roses et de marguerites.
Cela vole, cela s'éparpille dans les cheveux et sur les visages.
Voici des fleurs-oiseaux, des fleurs-papillons, des fleurs-confetti...
Il en tombe de tous les côtés à la fois.

C'est l'oncle Sébastien qui a construit l'hélicoptère et c'est Nicole
qui est montée dedans.
Mais c'est Frédéric, le cousin de Martine, qui a eu l'idée de tirer
sur la foule avec ce canon à fleurs.
Qui attrapera le plus de marguerites?

A mesure que le cortège avance, les spectateurs se pressent de plus en plus nombreux sur son parcours. Il en vient de partout. Il y en a jusque sur les murs. On dirait que toute la ville s'est donné rendez-vous.

– Bonjour, bonjour, fait Patapouf en remuant la queue.

– Ce petit chien dans la voiture, d'où vient-il?

– C'est Patapouf, le chien de Martine, pardi! Tu sais, Martine, la petite fille que tout le monde est venu voir passer dans le cortège.

... Regarde, voilà justement son char.

– Oui, c'est elle, je la reconnais! Elle est ravissante!

Martine fait tourner son ombrelle avec grâce et salue tous ses amis qui sont venus de loin pour la voir dans son costume de Japonaise. Elle envoie des baisers en guise d'au-revoir.

19

Ainsi se termine le cortège de la fête des fleurs. "L'Escargot paresseux" s'arrête. Les joyeux cyclistes descendent de leurs bicyclettes. Les majorettes se dispersent. Martine descend de son char.

Un petit garçon qui jouait du tambour s'est endormi dans les bras de sa maman.

Il voudrait bien rester éveillé pour ne rien perdre de cette belle journée qui s'achève. Mais le petit garçon, malgré lui, a fermé les yeux pour de bon. Il entend la musique comme dans un rêve. Et pourtant, ce sont de vrais musiciens qui jouent là-bas dans le kiosque.

Car la fête n'est pas tout à fait finie...

— Venez par ici, mes enfants, dit grand-père Nicolas, nous allons faire un petit tour en ville.

C'est ainsi que ce soir-là, dans la rue des Capucines, on vit passer en un curieux équipage un grand-père, une petite Japonaise, un Patapouf et trois cyclistes de Saint-Guidon-la-Jolie... tandis qu'au loin claquaient les derniers pétards de la fête.

21

Imprimé en Belgique par Casterman, s.a., Tournai, septembre 1986. N° édit.-impr. 3503. Dépôt légal: 4ᵉ trimestre 1973; D. 1986/0053/206.
Déposé au Ministère de la Justice, Paris (loi n° 49.956 du 16 juillet 1949 sur les publications destinées à la jeunesse).